Ma Fille Bern

Francis Jammes

Alpha Editions

This edition published in 2023

ISBN : 9789357959780

Design and Setting By
Alpha Editions
www.alphaedis.com
Email - info@alphaedis.com

Contents

A MARIE DE NAZARETH,
MÈRE DE DIEU

En Vous dédiant cette œuvre, je Vous dédie aussi ma fille Bernadette dont la patronne, dans mon pays natal qui est la Bigorre montagneuse, Vous a vue.

Les vieux botanistes Vous dédiaient aussi leurs flores et on Vous peignait à la première page, debout, Votre fils dans les bras, tout entourée de lilas, de radiées bleues, de roses, de gloxinias, de weigélias, de pivoines, de boules-de-neige, de lis, de ces mille fleurs qui ne reviendront plus parce qu'elles ne sont plus cueillies pour Vous par les robustes rêveuses qui se levaient au matin des myosotis et s'endormaient au couchant des capucines.

Vous êtes la mère de tous les hommes et de Dieu. Vous êtes née à Nazareth aussi simplement que ma Bernadette à Orthez. On a dit la vérité. On n'a pas inventé pour Vous une origine extraordinaire. Je Vous tiens dans mon cœur comme une certitude. Je suis inintelligent, c'est possible, mais l'encens de toutes les fleurs créées s'élève pour Vous de la terre et Vous le changez en amour comme ce rosier grimpant qui s'élance à la cime des cèdres.

Vous voyez que je ne sais plus bien ce que j'écris, mais ma pensée s'attache à Vous ainsi que cette liane fleurie, et je Vous dédie cette pauvre œuvre comme une servante son pot de réséda, et il tremble dans mes mains élevées.

L'ÉNIGME

Au moment des premières douleurs de la mère, c'était un mardi dans l'étouffante matinée, de grands lis roses de la Guadeloupe semblaient accroître le silence du salon obscur.

Autour de l'épaisse demeure feuillue où l'âme de mon enfant commençait de se faire jour, telle que la lumière bleue du ciel lutte avec la nuit et palpite, j'ai eu ce plaisir de voir errer des jeunes filles inconnues.

Elles venaient voir la maison du poète, elles levaient le cou comme des cygnes, et les grands lis roses de la Guadeloupe se pâmaient. Et moi, les souliers encore boueux d'une course champêtre, j'épiais ces enfants curieuses qui essayaient, par-dessus le mur épais, d'apercevoir le mystère d'où naît ma poésie.

Bonjour, chœur gracieux qui êtes venu entourer cette demeure. Vous auriez voulu entrer par la petite porte verte. Aussi, je vous propose cette énigme :

Qui donc est sorti de la maison sans y être entré auparavant ?

C'est Bernadette.

L'ACTE DE NAISSANCE

L'an 1908 et le 19 août, dans l'anniversaire et presque à l'heure de la mort de Blaise Pascal, est née à Orthez ma fille Bernadette.

L'un des témoins à la mairie a été mon premier voisin François le savetier qui a un oiseau.

L'ANGE GARDIEN

Comme un flocon de neige inattendu au milieu de l'Été, elle est apparue sur le seuil tenue dans sa robe de baptême. Et les pauvres petits du quartier avaient jonché le sol de buis et de baies de sureau. Et ils ont crié : « Vive Mlle Bernadette ! » Et dans mon cœur pris par tant de douce naïveté, Vous seul, ô mon Dieu ! avez su ce que je Vous disais. Car vous êtes mon Dieu et Bernadette est ma fille. C'est Vous qui l'avez envoyée du fond de Votre Ciel à deux voyageurs ici-bas qui Vous louent de ce qu'elle repose dans son humble nid sous un rayon de gloire. C'est un prodige adorable que Votre main, qui soulève les flots, nous offre cette rose frêle.

De tout temps Vous aviez prévu son éclosion, car dans Votre éternel dessein Vous voyez se presser sur la fresque du firmament, parmi les ailes des anges gardiens, les faces innombrables des nouveau-nés. Parfois Votre regard qui confond les abîmes se repose. Et je ne sais si ce n'est pas alors que Vous le tournez vers ces petits et que, l'élevant au-dessus d'eux, Vous contemplez Votre propre Fils dans sa crèche.

Oh ! quel poète décrira ce paradis entr'ouvert sur ces légions d'enfants ! Il en est parmi eux qui attendent leur tour de descendre sur la terre et il en est, hélas ! qui en ont été rappelés trop tôt à notre gré. Cependant, vous qui pleurez, consolez-vous, car ceux-ci sont dans la béatitude et ils vous tendent les bras et gonflent leurs joues et l'un d'eux parfois gazouille en demandant pour vous une grâce à la Trinité formidable.

A chaque enfant son nid. Et ce nid, il est tantôt de simple paille comme celui de Notre-Seigneur Jésus-Christ, et caché dans une étable. C'est ainsi que dans son humilité Dieu imite le passereau. Et tantôt ce nid est de roseaux comme celui de la fauvette de rivière, et la fille du Pharaon qui va au bain sauve et recueille Moïse. Il est encore des nids de bois précieux qu'abritent des villas de marbre, suspendues au-dessus de la mer comme des aires de grands oiseaux. Et le nid de Henri IV est une écaille de tortue dans un château qui communique avec le gave, à la mode du martin-pêcheur. Et la femme de l'Indien tresse un hamac d'aloès qu'elle suspend à l'ombre des roses de la Louisiane, et les colibris s'y trompent et s'en viennent butiner sur les lèvres de son fils.

Les premières soies dont on tisse un nid d'enfant, ce sont les cheveux que s'arrache en rêvant la jeune fille qui les donne à son fiancé. Ainsi la tourterelle choisit les duvets les plus doux à son cœur. Le nid de Bernadette fut commencé de cette sorte, puis des fils de lin blanc tramés autour l'épaissirent et, comme un cocon entr'ouvert, il fut fixé entre les barres de l'humble berceau d'où s'élèvent les vapeurs du tulle. Le tout repose sur un vieux plancher, au-dessus d'une grange.

Les hirondelles revenues de l'Extrême-Orient ont pondu et couvé en bas et leurs petits semblaient s'en être allés quand arrivait Bernadette. Mais le gazouillement continue et je ne sais trop parfois si c'est Bernadette qui hante le berceau des hirondelles ou si ce sont les hirondelles qui visitent le nid de Bernadette. Enfants, oiseaux, vous parlez une même langue !

———————

— Qu'avez-vous vu ? demande la petite fille à ses amies ailées.

Et celles-ci :

— Nous avons vu l'empereur de Chine. Il coiffe un chapeau qui sonne comme ton hochet. Le toit de son palais est pareil à son chapeau, mais nous n'avons point pondu sous les corniches de peur que l'on ne prît nos nids pour les manger. Nous avons plané au-dessus des pagodes des diables et passé la mer pour venir jusqu'ici. Nous nous reposions sur le pont des navires où nous becquetions dans les doigts de jeunes passagères. Quand nous repartions elles pleuraient, portant une main à leur cœur et l'autre au-dessus de leurs yeux pour nous suivre longtemps à travers leurs larmes.

Ainsi parlent les hirondelles, mais Bernadette gazouille ainsi :

— Je viens d'un Empire céleste qui n'est pas le même que celui que vous chantez. J'ai été amenée sur la terre, pour l'amour de mes parents, par l'ange gardien dont j'entrevois, tout contre mon bonnet, la figure comme une belle pomme rouge. Voyez, il ne me quitte pas, il m'accompagne dans le jardin où mon aïeule me promène sous le beau temps des feuilles dans lesquelles on entend le vent bruire comme un ruisseau. Il a les mains jointes. Mais les ailes parfois battent en silence pour louer le Seigneur. Et alors je m'efforce à retenir dans mes doigts un peu de la brise dont elles me caressent.

Et il est vrai que l'ange gardien de Bernadette déjà la protège, et qu'il la préservera des mille dangers que courent les petits. Si elle tombe, il étendra la main, telle qu'une palme pacifique, pour que le front ne bute pas contre le pavé. Et si elle frotte des allumettes, l'ange, avec le même arrosoir qu'elle aura fait bruiner sur les fleurs, détrempera le phosphore pour qu'elle ne s'incendie pas. Et si, dans le jardin, elle porte à la bouche quelque baie vénéneuse, l'ange fera s'envoler un papillon si bleu que Bernadette ravie jettera cette baie pour ne s'occuper plus que de l'insecte. Et si, dans la rue, elle s'échappe et qu'elle soit menacée d'être écrasée par quelque voiture, il saisira par la bride le bon cheval en lui disant :

— Je suis l'ange gardien de la petite fille.

O Bernadette ! j'ai vu, dans un livre de la Bibliothèque rose, une gravure qui représente un ange gardien qui donne la main à une petite fille, et jamais je n'oublierai cette gravure : Dans le difficile sentier du Ciel l'être divin conduit l'enfant semblable à quelque Chaperon rouge. Des forêts aux arbres merveilleux s'étendent à côté, mais on les devine suspectes et c'est loin d'elles que le serviteur de Dieu entraîne sa frêle protégée. « O mon enfant ! semble-t-il lui dire, ne va point cueillir ces fruits des *Mille et une Nuits* et garde-toi de ces corolles pleines d'un encens empoisonné. Mais plutôt, suivons ce chemin rocailleux que ne bordent que les mûres et les marjolaines. »

Tu écouteras, ô ma fille ! les conseils de ton ange. Si calme que soit une existence, des souffles qui donnent le vertige s'élèvent parfois de la forêt maudite et séduisante. Ne quitte pas alors le chemin que Dieu t'a tracé. Que les violettes de notre petite propriété suffisent à charmer ton cœur ! Du haut d'une côte tu contempleras parfois la vie simple dont tu te seras contentée : cette maison où fut ton nid, les géraniums sur le mur du jardin, l'église, la place, la fontaine. Cette existence un peu obscure te sera chère parce que ton cœur l'illuminera du feu de Dieu, comme l'étoile de Bethléem éclaira les rois mages.

Mais tu es encore loin de ce moment où l'on connaît le trouble et qui vous rend semblable à un ruisseau de Mai sous de légers orages. Avant que je m'en aille tu reviendras souvent vers nous, n'est-ce pas ? Et ton ange gardien sera le frère de ce voyageur inconnu qui accompagne et ramène le jeune Tobie à la maison. O ma Bernadette ! tu songeras à cette grande histoire, au chien qui aboie pour annoncer le retour, au père aveugle et guéri par le fiel du poisson. A la manière dont je me lèverai du coin du feu pour t'accueillir, tu devineras que l'ombre commence de peser sur mes yeux fatigués. Et tu prieras ton ange pour que la lumière me soit conservée. Alors il ouvrira quelque armoire et, sur les draps qui seront mon linceul, il prendra un livre et te le tendra. Et il se tiendra debout, t'enveloppant d'une aile, cependant que tu me liras les Saintes Écritures pour que j'y trouve l'onguent qui descelle les paupières. Et c'est toi qui m'aideras à entrer dans la tombe puisque c'est moi qui t'ai aidée à sortir du berceau.

VUE SUR LES CHOSES

O Bernadette ! tes yeux s'ouvrent.

Oh ! Qu'est ceci ? La vie. Oh ! Que c'est étonnant ! Tu regardes là, mais quoi ! Eh ! Qu'importe ? Tu vois : il y a des choses. Tu n'as pas besoin de savoir, mais fixant un coin de la tapisserie, obstinément, tu découvres le monde. Il est extraordinaire. Il y a ceci que tu vois peut-être et que je ne vois plus, et il y a cela que tu ne vois pas encore et que je vois : des chevaux, des bœufs, des prairies, de l'eau et la face de ta mère et son sein où ta bouche se colle comme une lape au rocher. Parfois tu souris tant c'est joyeux, mais soudain ta lèvre devient arquée et amère comme celle du Dante : ton œil se fait hagard à contempler ce gouffre de Pascal qui s'étend au delà de ton bonnet. Et ton bras replié en équerre sur la poitrine, tel celui de Bonaparte, mesure ton domaine. Furent-ils jamais plus grands que des petits, ces grands hommes ? Oh ! non. Leurs regards passent ce que tu vois et ne savent plus s'arrêter aux objets ordinaires, tandis que ton hochet te distraira et, dans ses cercles étroits, tu enfermeras toute ta divine comédie, tes pensées et ton sceptre.

LE SOURIRE

Mais puisque j'ai parlé de ton sourire : qu'il est bon ! Venu des abîmes de la Joie il flotte en l'air comme un parfum et comme une couleur, puis se pose sur ton visage ainsi que l'arome et la blancheur du lis sur son calice. Il s'épanouit, rayonne sur ta face. Et ta bouche n'est plus qu'un fruit rose pâle qui s'allonge vers les pommettes qui s'arrondissent, tes yeux sont deux gouttes d'eau de mer joyeuses. Et le plus divin, c'est le silence de ce sourire qui reflète l'air des anges et l'innocente ignorance et l'onde paisible du ciel sur laquelle nage un petit oiseau.

Quel fut le premier sourire du monde ? Ce fut la belle ligne que formèrent les choses en se donnant la main : la mer donna la main à la plaine, la plaine à la colline, la colline à la montagne et la montagne au ciel. Ton œil luisant, ô ma fille, donne la main à ta petite bouche plate qui la donne aux boules de tes joues qui la donnent à ton nez-en-l'air. Tu es comme le sourire du monde. Veux-tu que nous jouions au monde ? Tu n'as qu'à sourire. C'est fait. C'est moi qui suis pris. Je clume.

Tu sauras plus tard que jadis le monde ne cessait pas de sourire et que sa face ne commença de s'attrister que lorsque la première fleur se fana au Paradis terrestre. Tu n'as vu encore, ô Bernadette, aucune fleur se flétrir, et j'épie dans ton sourire la béatitude de nos premiers parents quand ils causaient avec Dieu devant les chevaux qui paissaient.

LES LARMES

Mais les larmes de Bernadette !

Sur la face sans nuage un pli se creuse comme sur une eau tranquille, soudain : le front se fronce, le nez se fronce, les joues se froncent, la bouche s'ouvre comme si elle ne devait plus jamais se refermer, les mains se crispent, effilochent l'air, un long cri succède à de petits sanglots entrecoupés. Oh ! Qu'elle est malheureuse ! On lui dit : « Tais-toi, Bernadette ! Tais-toi, Bernadettou ! » C'est le sein qu'elle veut, la clameur se fait impérative et rageuse. Et l'on voit luire au coin de l'œil la première larme.

O mon enfant ! De même que j'ai médité sur le premier sourire du monde, je méditerai sur sa première larme. On t'apprendra plus tard que la Terre, ayant offensé son Créateur, ne fut plus quelque temps qu'une larme roulant dans la paupière du ciel. Mais quelles furent les premières larmes versées sur cette Terre ? Je crains, hélas ! que dans la dureté de leur cœur Adam et Ève n'aient trop longtemps refoulé les leurs. Mais peut-être que le chien (tu sauras plus tard comme le chien est bon, fidèle et obéissant), dès qu'il se fut aperçu de la peine que ses maîtres avaient causée à Dieu, pleura dans la niche.

O Bernadette ! Je ne sais pas, quand je les vois s'évaporer si vite, si, tes larmes, ton ange gardien ne les recueille pas une à une et n'en fait pas un chapelet béni.

La Mère de Dieu refuserait-elle rien en échange de ces perles vivantes de mon enfant ?

LA NYMPHE

Emmaillottée, elle a l'air d'une chrysalide, et c'est dans des enveloppes imbriquées comme les feuilles d'un bourgeon qu'elle délie ses gestes. La tête seule saille du maillot, ainsi que la tête de l'insecte appelé frigane de son étui de bois, ou celle de la tortue de son test. Ce maillot, ponctué au dos du corselet par des épingles de nourrice, se bombe au milieu.

Voici la mère. Elle saisit cette nymphe dans les vapeurs du berceau, s'assied, l'étend à plat ventre sur elle, dégrafe les épingles, la retourne, la dépouille de ses langes dont le dernier est souvent d'un jaune d'œuf, la met nue et la plonge jusqu'au cou dans un baquet. Bernadette soutenue sous les bras essaie de se renverser, dresse ses genoux vers son menton. Sa face exprime la béatitude, ses yeux luisent et, presque, ils rient. Mais, tout à coup, elle rugit. C'est quand, s'étant saisie d'une éponge et d'ouate hydrophile, la mère nettoie et essuie sa petite.

LA VISITE AUX MORTS

On ne l'avait menée encore en ville que pour son baptême, on la promène d'ordinaire dans le jardin si vieux qu'il a toujours l'air d'être au clair de lune et d'offrir ses tonnelles aux ombres des vieux poètes. (Les corolles des weigélias, d'un rose si rose, se fanèrent au Printemps, elles ont peut-être émigré en Chine, elles seront de retour avec les hirondelles.)

Mais hier Bernadette a visité les Morts, elle a suivi, aux bras de la femme de chambre, la rue Saint-Pierre dont les tuiles croulantes sont rouillées comme les clefs du Ciel. La porteuse s'est assise sur une tombe, elle tenait l'enfant sur ses genoux, l'enfant vêtue d'une longue robe solennelle, l'enfant semblable à un grand oiseau de neige endormi dont traînerait la belle queue.

A quoi rêvais-tu, Bernadette ? Que racontait ton songe aux songes des petits qui ne s'éveillent plus pour tendre la bouche aux nourrices ? Tu sommeillais au milieu du sommeil. Et le silence était pareil au bruit calme de la mer.

LA VISITE AUX VIVANTS

Il flotte encore tant de ciel dans les yeux de Bernadette qu'elle ne démêle pas très bien la terre ni ce qu'il y a dessus. Je ne pense point que, lorsqu'elle rend visite à nos amis et parents, elle en ait plus de connaissance que n'en aurait l'oiseau du savetier, si on le leur apportait dans sa cage. Et cependant, de Bernadette se dégage la majesté de ceux qui demeurent indifférents. C'est en vain que le jardin de la villa d'une bonne vieille dame offre à la jeune visiteuse quelque allée ratissée comme celle d'un plan et des arbres en ordre et ronds ; en vain que, dans le salon, le portrait d'un marin préside ; en vain que l'on agite des hochets et que l'on prodigue les plus doux mots et que l'on cherche des ressemblances. Bernadette reste impassible. On redouble d'aménité, on se met à genoux devant elle pour lui mieux sourire. Elle semble ne vouloir voir que la blancheur informe du plafond. Ange, chérie, amour, mignonne, délice de mon cœur : rien n'y fait. Elle oppose à tout hommage l'air d'une reine blasée, ou d'un chat que des enfants veulent forcer d'être content. Mais, soudain, va-t-elle sourire ? La bouche s'ouvre en pot-à-lait, un grognement en sort. On s'émeut. Oh ! Oh ! Oh ! Qu'as-tu, petite Bernadette ? Ce qu'elle a ? Elle *pousse* dans le monde.

L'ARBRE-A-LAIT

L'arbre-à-lait de Bernadette, c'est sa mère.

L'enfant, comme un fruit entre deux branches suspendu, se gonfle de suc, tenue entre les bras.

La bouche de la téteuse se prend au sein où les veines dessinent une voie lactée, et la sève aspirée s'épand dans ces petits os, ces mignons ongles, cette peau de rose, y fixe ses gracieux éléments, et fait de Bernadette un trésor composé de la fleur du minéral.

Souvent, alors qu'aucune bise ne l'agite, l'arbre maternel saisi de joie chante.

LE RIRE

Heu ! Heu ! Heu ! fait Bernadette en riant.

La lampe brille, le feu danse, la chienne ronfle, les fauteuils sont vieux.

Heu ! Heu !

Bernadette a tant bu que deux gouttes glissent de sa bouche facétieuse et luisent sur les côtés du menton.

Heu ! Heu ! Heu !

Les sourires de Bernadette ont passé à travers le ciel de son regard et répercutent l'écho de la lumière des anges.

Heu ! Heu !

La voici dans son berceau, éveillée. La joie éclaire sa face qui éclaire le berceau et le berceau éclaire les parents.

Heu ! Heu ! Heu !

L'Automne s'élève de nouveau et ruisselle sur le feu des arbres d'ornement.

Ha !

La feuille tombe et ton sourire la remplace, ô Bernadette !

L'AME DE LA MAISON

Le vieux mur ne s'évapore plus au soleil. Il pleut sur le perron brisé. Le marteau de la porte épaisse est petit. Si vous êtes dans la nuit, frappez. La porte ouverte, vous verrez l'âme de la maison sur le canapé que caresse la lueur du feu : Bernadette.

Approchez-vous, elle dort, elle a l'air d'un œuf de fourmi. Le bon Dieu l'a allumée comme une petite lampe qui éclaire ce papier où j'écris ce nom : Bernadette.

L'ALPHABET A LA FLEUR

Les premiers jours qu'on la promenait dans le jardin, il y a trois mois, Bernadette était comme le cœur blanc de cette grande fleur à la corolle verte et bleue qu'est la nature en Août. Chaque chose a pour centre le centre que le désir choisit.

Quand on relevait les yeux de dessus mon enfant pour les reporter au loin, le contour de la fleur c'étaient les Pyrénées aux pétales échancrés.

L'Automne a jauni la corolle dont le cœur est encore blanc.

Sache donc, ô toi qui soutiens cette petite fille ! que tu supportes tout le paysage qu'elle entraîne avec elle et que si elle n'eût pas existé dans l'univers, l'univers n'eût pas existé sans elle, puisque Dieu l'a créé pour elle.

Quoi ? Toute la terre ? Et tout ce pollen d'astres qu'elle ne distingue même pas encore ! Penses-tu ?

Oui, c'est l'alphabet qu'ouvre l'Éternel pour apprendre à lire à Bernadette. Déjà, blottie au cœur de la fleur, elle épelle la lumière.

LE SIROP DE POMME-REINETTE

On lui a fait boire du sirop de pomme-reinette…

Dans quel enclos as-tu mûri, pomme-reinette ?… Dans quel enclos bleu, pour qu'un jour ton suc fût, ô pomme-reinette ! si doux remède à Bernadette ?

Voici la simple histoire :

Bernadette n'était pas conçue, que l'enclos bourdonnait à cause d'une abeille qui est l'amour. Deux fiancés écoutaient l'abeille sans savoir que onze mois après leur naîtrait Bernadette.

Mais un pharmacien prévit non seulement cette naissance, mais que l'enfant serait un peu indisposée. C'est pourquoi, grimpant à l'échelle, il cueillit au-dessus des fiancés une pomme-reinette dont il tira un extrait savant.

O Bernadou ! Tu sauras plus tard que la science est la sœur de la sagesse et que ce pharmacien est le frère de cet opulent roi Salomon lequel, nous dit la Bible, « *disserta sur les arbres depuis le cèdre qui croît au Liban jusqu'à l'hysope qui sort de la muraille* ».

LA RÉPÉTITION POUR NOËL

La lune, hors des nuages épais et pluvieux, ressemble au soleil si on la regarde entre les branches de cyprès du jardin. Le hibou que je suis semblerait seul devoir hanter cette retraite et gémir avec le Psalmiste : « *Sum sicut nycticorax in domicilio.* »

Cependant tout près de moi, dans le salon, j'entends cette note sourde et timide qu'émet la colombe sauvage aux jours chauds.

C'est Bernadette qui roucoule.

O Bernadette ! De qui tiens-tu cette voix sinon de Dieu lui-même, de cette autre Colombe qui chante aussi en Décembre, mais sur la crèche du Petit-Jésus ?

Ah ! Tu t'essayes, tu veux, ô mon enfant ! ô toi qui ne parles pas encore ! chanter pour ton premier Noël.

L'ENFANT-JÉSUS

Cet Enfant-Jésus est ton frère, mais toi tu es dans ton berceau et il dormait sur la paille. Et ceux qui avaient une grande inquiétude devenaient joyeux en le regardant, les mages et les bergers. Écoute, ô ma Bernadette ! la petite cloche d'un agneau, d'un agneau qui le baise au front, lui ton Dieu ! Lui, ton Dieu et ton frère…

Oh ! que me penchant sur toi, ô mon enfant ! je retrouve dans tes traits ceux du Nouveau-Né qui s'abaissa jusqu'à ta petitesse. Déjà tu lui ressembles. Il tette et pleure aujourd'hui, mais bientôt il vaquera à d'humbles besognes comme toi qui iras chercher le pain sur le buffet et le fil pour coudre. Mais, toi plus grande, je te conduirai vers la bleue montagne de Lourdes pour te le montrer auprès de sa Mère. Je te hausserai dans mes bras pour que tu voies ce Roi qui est ton frère, te dis-je ! et pour que tu lui cries en élevant les mains qu'il t'a données : « Vous êtes mon Seigneur et mon Dieu ! »

LE SOMMEIL DANS LA TEMPÊTE

Cette nuit, la tempête a pleuré sans discontinuer, les rafales se succédaient comme se suivent les lames de la mer. On entendait les bouffées de vent pluvieux s'écraser aux volets, des coups sourds, une souris.

Sans souci de ce désarroi de la nature, Bernadette, dans son berceau voilé, a sommeillé jusqu'au matin au calme de notre chambre. O divin mystère qui rapproche une créature du Créateur ! « *Cependant Jésus, couché à la poupe, la tête sur un coussin, s'était endormi.* »

O ma Bernadou ! Petite disciple ! Tu sais que tu es dans la main du Tout-Puissant et que, malgré cette furie de l'air et de l'eau, il ne peut t'arriver rien que le Ciel ne veuille. C'est pourquoi tu ne doutes pas que ton pauvre nid qu'un coup de vent suffirait à balayer ne continue à t'être un sûr abri. Toi seule, ô innocente ! si la crue venait lécher le seuil de la maison, ne t'inquiéterais pas. Car, mieux que nous ne le voyons de nos yeux grands-ouverts, tu vois, ô mon enfant ! à travers tes paupières closes, à l'avant de ton berceau, Dieu dormir.

ANGOISSE DE MÈRE

Qu'a-t-elle ? Qu'a-t-elle ? Qu'a-t-elle ? Mais qu'a-t-elle ? Mais qu'a-t-elle ? Et voici que, penchée sur Bernadette qui pleure, pleure sa mère. Il suffit que le motif des sanglots de notre enfant nous soit caché pour que l'ombre noie nos cœurs. Je crois néanmoins que la cause est peu grave de ces larmes — quelque dent qui perce ?

Mais la mère est émue au plus haut point, et toute la passion et toute l'angoisse qui font se coucher une brebis devant son agnelle qu'on veut lui ravir sont renfermées dans ces mots :

— Je ne veux pas descendre pour dîner ! Je veux manger ma soupe auprès de ma petite.

O tristesse de la vie matérielle, quand l'âme est dans l'angoisse ! Soyez loué, mon Dieu, de ce que les pleurs cessent de part et d'autre. Ainsi la rivière se ride sous l'ondée et se déride au beau temps comme le visage de la mère en face d'une larme ou d'un sourire.

CHOSES QUI PARLENT

Le cliquetis des aiguilles à tricoter, le froissement de la page que l'on tourne, le tic-tac de la pendule, le grincement de ma plume composaient et composent mes soirs de fin d'Automne. Mais, à la venue de Bernadette, les objets familiers ont prononcé de nouvelles paroles : les aiguilles discutent la mesure des petits chaussons, et la page du livre chuchote à la mère que l'heure de l'allaitement s'avance sur le cadran qui rabâche. Cette plume qui versa tant de larmes s'arrête un instant comme une noire voyageuse après un long parcours. Elle se souvient d'une halte plus douloureuse, quand le destin semblait aveugle et la route incertaine.

O ma plume qui erras dans le deuil ! Tu recommences à chanter sur cette feuille, tu loues Dieu de t'avoir donné pour guide cette enfant qui ne sait pas marcher.

LE FÉVIER

Le févier est un grand arbre originaire de la Chine et dont les enfants sucent les gousses marron pleines de baume. A travers la vitre pluvieuse Bernadette regarde le févier. Elle interroge en silence ce témoin quelconque de la vie, apprend à le connaître, et nul doute que déjà il ne soit pour elle un grand personnage qu'elle ne définit pas, mais qui l'intéresse. Que lui répond l'arbre sinon : « *Je suis là* » ? Et quelle affirmation pourrait satisfaire davantage Bernadette ? Elle ne sait pas qu'en Août il étendait sur elle, qui dormait, de grands éventails de feuilles harmonieuses.

Ma petite fille, je laisse un peu d'ombre sur ce papier pour que tu saches que moi aussi, dans ma belle saison, j'ai fait chanter mes feuilles sur ton sommeil.

LA NATIVITÉ

Ton premier Noël est passé. Les constellations ont tremblé à minuit, cerfs-volants d'or obliques. Et le cœur de ta mère et le mien étaient parfumés d'encens. Et j'écoutais bruire dans l'ombre je ne sais quel rouet de sainte. « *Gloria in excelsis Deo et in terra pax hominibus bonæ voluntatis…* » Mais était-ce bien le rouet d'une sainte accompagnant de son ronron les frustes répons des bergers ?… Non, c'était ce doux vent que ta respiration produit durant ton sommeil, ô Bernadette ! Le ciel peu à peu devenait une pelouse et ton souffle y montait, tandis que descendait celui des anges. Et les brebis des hommes étaient assises, élevant leurs pattes fatiguées, deux pattes, en signe d'adoration. Et puis elles parlaient pour baiser au museau les brebis de Dieu. Et puis elles revenaient sur la terre et s'acheminaient vers la Crèche du Pauvre. Et le diadème du roi nègre brillait sous l'étoile. Et des milliers de pas marquaient la neige, le pas de ceux qui répétaient : « *Laudamus te. Benedicimus te. Adoramus te. Glorificamus te…* » et les pas des chameaux des Mages, et même des pas de petits oiseaux. Il y avait trois passereaux, le père, la mère et le fils qui allaient à Bethléem et qui parfois s'arrêtaient pour saluer le monde plus vaste que le désert.

Et puis j'ai vu, j'ai vu, ô Bernadette ! une empreinte chérie, celle de tes pieds, ô qui ne sais pas marcher ! l'empreinte envoyée par ton cœur, imprimée au seuil de l'Étable. Et tandis que ton Frère divin, quatre mois plus jeune que tu n'es, dormait entre la Vierge et le Charpentier, il m'a semblé que tu étais là, debout, chantant le chant de ton doux sommeil.

LA PETITE VOITURE

On lui a acheté une petite voiture qui a quatre roues comme la Grande Ourse et que ma femme pousse sur la route. Je marche auprès avec la chienne, et le paysage glisse. Douceur rustique d'un ménage modeste, constellation terrestre, poème prêt à éclore, si grand par sa médiocrité même : le père, la mère et l'enfant qui se répètent tels que les vers d'une strophe qui ne lasse pas.

Il est des voitures plus luxueuses que n'est la tienne, ô Bernadette ! Mais nous avons fait ce que nous avons pu, et ce m'est d'une tristesse bien douce que nous n'ayons pas pu davantage : il est bon de sentir que si Dieu ne nous donne pas la richesse, il nous épargne la pauvreté.

… Pas la richesse ? Ah ! Que dis-je ? Il y a un trésor dans la petite voiture.

NEIGE

La neige interrompt soudain le renouveau des pépiements, des roulades et des sifflets et, tandis qu'hier encore les fins duvets des blés naissants recouvraient la terre çà et là, pareils aux cheveux de Bernadette, aujourd'hui le vieil Hiver a fait tondre sa barbe. Il n'y a plus d'autre évocation de Printemps que des fumées qui se balancent au-dessus des chaumines et forment des touffes lilas fleuries aux soleils des petits feux ménagers. O bosquet de la halte des pauvres en hiver !

J'ai hissé Bernadette sur mon bras, de telle façon qu'elle pût apercevoir les toits qui semblent basculés et les terreaux que l'on dirait picorés et les feuilles qui ont du coton dans les oreilles. Elle a contemplé tout cela avec une curiosité qui figeait son sourire. Que la nature est donc belle, mon Dieu ! Elle change encore de robe, mais cette fois c'est une robe comme la tienne, ô Bernadette ! la robe d'une nouvelle-née, robe où mûrit le grain de blé ou le cœur de l'homme. Regarde face à face cette grande sœur, la Terre qui, demain, après son sommeil, se remettra à gazouiller. Elle te garde son cœur, ce grain de blé, afin qu'un jour Dieu puisse entrer *sous ton toit*, de nouveau recouvert par un voile de neige, le voile de ta première communion.

LA PREMIÈRE DENT

La rose ouvre la bouche pour prier Dieu en silence, et cette oraison amène une larme jusqu'aux lèvres des pétales. Ta bouche s'ouvre aussi, ô Bernadette ! pour louer le Seigneur. Et ta première dent vient à poindre comme la goutte de rosée sur la corolle. Il fallait bien que tu obtinsses quelque faveur de la Trinité, puisque depuis six mois tu lui souriais de ce sourire si bon ! L'Éternel te convie ainsi au banquet où ce grêlon percera la cerise de feu, le raisin vert d'eau, la prune d'air bleu et la pomme grise comme la terre.

O mon enfant ! Ta mère qui l'a arrosé de son lait a poussé des cris de joie quand ce germe a pointé. Mais moi je m'attriste un peu… O Bernadou ! Pourquoi cette petite dent ? Le lait de ta maman n'est-il donc pas si doux qu'à jamais il ne te suffise ?

PORTRAIT A SIX MOIS

L'âne de caoutchouc siffle comme un nid, le hochet tombe, la poupée est repoussée. On redonne à Bernadette le hochet qu'elle mord et qui retombe aussi et, quand on le lui remet, c'est l'âne qui va rejoindre le hochet. Et ainsi de suite, et l'aïeule sans se lasser ramasse les jouets tandis qu'un bourdonnement et de petites bulles sortent des lèvres de Bernadette dont je contemple la face. Cette face ressemble à la pleine lune à qui les simples prêtent des yeux, un nez et une bouche faits avec des ronds. Mon enfant me sourit soudain, et cette impression s'accuse davantage d'une lune naïve que des nuages qui glissent recouvrent et découvrent tour à tour. Le sourire, c'est l'éclaircie.

PRIÈRES DU MATIN ET DU SOIR

Bernadette, lorsque tu t'éveilles au matin, la lumière délicate met un baiser couleur de primevère jaune aux lèvres du contrevent. Et ce baiser glisse jusqu'à toi, et alors tu pries Dieu dans un langage incompris de nous, un langage qui est celui des oiseaux à cette heure où le ciel éclaire la nuit.

Bernadette, lorsque je t'élève vers le Seigneur, le soir, avant de te recoucher, tu souris et ta bouche est comme la braise d'un encensoir. Ta jeune prière c'est toi-même, ton innocence qui ne parle pas. Un jour tu diras : « Notre Père... » Mais à présent tu contemples ce Père sans trouver aucun mot, et ton oraison ressemble à celle des oiseaux qui se taisent à cette heure où la nuit éclaire le ciel.

LA VACCINATION

Elle avait une bonne grosse tête, pas méfiante du tout, tandis que le docteur préparait son bistouri pour la vacciner. Elle ne savait pas, elle ! Est-ce que ce n'est pas toujours pour se faire du bien que l'on se rapproche ? Pour donner un baiser ou à téter ? Elle était si sûre de ce que l'on ne lui voulait aucun mal qu'elle n'en a ressenti aucun, l'innocente ! Et tandis que sous l'épine d'acier naissaient quatre petites roses rouges, la figure de Bernadette exprimait la confiance et peut-être un peu aussi l'étonnement. «Je ne sais pas ce que vous faites », avait-elle l'air de nous dire.

Je songe à ce que l'on m'a dit que fit Notre-Seigneur quand, les rites voulant qu'il saignât de sa propre main un agneau pascal, il ne sut du bout du couteau que lui donner une caresse. O mon agnelle ! je pense qu'avant qu'un autre que Notre-Seigneur le tuât, ton frère l'agneau dut avoir le doux regard dont tu nous fixais en attendant ta première blessure.

L'ENTOURAGE

Je veux fixer ici pour toi nos trois portraits, le mien tel que je suis à quarante ans dans l'ombre que modèle une humble lampe au mois de Mars de l'an 1909 : Sous des sourcils indociles mon masque un peu lourd se creuse autour d'yeux qui semblent comme ceux des chats avoir pris leur lueur de cul-de-bouteille aux vieilles petites vitres bosselées de la Province. Sous le lorgnon miroitant de myope, qui enfourche obliquement un nez plutôt fort et busqué dont le bout s'abaisse parfois en s'arrondissant pour aspirer quelque ironie que lance la bouche sensuelle, ces yeux sont tantôt d'une grande dureté, tantôt d'une grande douceur. De la colère au calme ils passent sans transition et leurs ondes rident ou aplanissent le front un peu fuyant plus apte à refléter des images qu'à mouler des pensées. Les oreilles moyennes s'enroulent simplement. Les cheveux qui grisonnent et s'éclaircissent et les crins emmêlés de la barbe noire et blanche n'ont pas de beauté : seuls les yeux et les mains. Depuis peu le corps s'est beaucoup élargi : un homme qui accepte enfin d'être tel qu'il a été pétri. Il a assez souffert, assez aimé, assez prié pour renoncer peu à peu à toute grâce qui n'est point divine, le père de Bernadette.

Ta mère, à vingt-six ans, est une grosse rose dont les joues supportent comme deux hannetons les yeux qui semblent bourdonner et s'envoler. Son double petit menton, vu de profil, est assez d'un Louis XIV, et sa bouche, sous le nez large mais bien fait, a la forme d'un chapeau de polichinelle. Le sourire découvre les dents brillantes et petites dont deux plus aiguës en haut ont poussé en avant et de chaque côté. Elle aime et elle rit de tout son cœur qui est d'or et agité au moindre souffle comme celui de la rose. Aucun grain de rosée n'accueille si vite le soleil qu'une de ses larmes le sourire. Sur son chignon un ruban est posé, frère de ce papillon du Brésil qui, au-dessus de la cheminée, luit comme un miroir d'azur. Elle porte ce soir un corsage clair et une robe sombre, elle est assise sur une chaise basse en face du feu et je lui dis : « Ginette, il est temps de prendre ton quinquina. » Elle sort un instant, puis revient et se penche sur ce papier avec tendresse et va se rasseoir. Maintenant fondue dans l'ombre elle babille d'une voix nerveuse qui se fait si chaude pour le chant. J'entends qu'elle dit : « l'air de petits myosotis… il y en a de très fines… » De quoi parle-t-elle ?… cependant que tu dors, ô Bernadette ! toi qu'elle placera comme un bouton de rose sur son cœur qui te nourrit.

———

Tout auprès de ta mère il y a une grande ombre, la plus grande du salon, et la flamme éclaire la face de cette ombre et la neige éternelle de ses cheveux et, sur le nez long, très en avant des yeux couleur de lin, s'appuient les cercles d'or qui jadis autour d'autres yeux encadrèrent des choses et des êtres des Antilles.

O Bernadette ! C'est ton aïeule paternelle, c'est de la nuit vivante à genoux devant toi et elle te serre contre son vêtement sombre comme le soir serre une étoile.

LE PÈRE DES PÈRES

Hier, fête de Saint Joseph, on t'a conduite à la chapelle de l'Hospice. Tu sauras plus tard quel père fut Saint Joseph qui, dans les mauvais chemins, tirait par la bride le petit âne qui servait de monture à la Vierge pressant contre son sein son Bernadou chéri qui est N. S. Que de bons pères encore dans l'Histoire Sainte ! Que tous ces pères prient pour nous le Père qui nous a mis dans son cœur, dans son cœur pareil à un jardin qui n'a pas de portes !

VERS LA SOURCE

O Bernadette dont on compte tous les doigts avec amour ! dont on entend les petits ongles gratter parfois le dessus du berceau ! voici que l'on t'a habillée pour te mettre dans la petite voiture et ton bonnet rappelle la coiffe d'un Pharaon et ta robe de mousseline est comme un liseron blanc que déborderaient deux étamines : tes jambes agitées par la brise de l'impatience.

Tu es couchée dans la voiture que nous poussons tour à tour ta mère et moi, et tu souffres un peu de ta dent, tu tires la langue d'un air boudeur. Nous quittons la grand'route, nous stoppons dans un sentier auprès d'un talus qui borde un ruisseau ; jamais on ne t'a conduite aussi loin dans la campagne. Je t'élève dans mes bras au-dessus de la haie, mais tu ne peux encore saisir ce qui dépasse l'horizon d'une chambre et tu ne fixes ni les montagnes ni les champs. Cependant notre voisin, le petit ruisseau, jase. Tes yeux s'abaissent vers lui et le contemplent. Dieu l'a placé là pour qu'il amuse, ô toi qui ne verrais pas l'océan ! mais qui regardes vers la Source dont tu es si près encore.

LE ROSIER QUI GAZOUILLE

Je crois que Bernadette parle quand elle gazouille. Que signifient ces phrases qu'elle module et qui m'impressionnent dans le silence de la nuit ? Le parler de Bernadette est comme un rosier dont les fleurs sont encore closes. Les mots sont encore fermés ; l'un après l'autre ils s'épanouiront ; déjà ils s'entr'ouvrent. Mais ce langage encore en boutons, les innocents du Ciel seuls le comprennent.

Puissions-nous, ô mon enfant ! soigner bientôt le doux rosier de tes mots enfin délivrés, et diriger ses branches dans un bel ordre qui assigne à chaque fleur sa place : le mot *Dieu* comme une rose rouge, au centre de l'arbuste, et la plus haute pour que le parfum de ses sœurs monte vers elle et que tu la voies toujours dominer. Oh ! Si saintes que soient les autres roses, même la blanche Marie, aucune ne doit être sentie avec autant d'amour que cette rose paternelle. O mon enfant ! que le mot *Dieu* ne fleurisse jamais sur tes lèvres, sans que tu pries pour les pauvres jardiniers qui auront aidé à son épanouissement... Après ce mot, tu délieras de leurs calices de silence les mots qui disent les élus, les hommes, les animaux, les plantes et les pierres. Et tu nommeras ainsi une à une au Seigneur toutes ses merveilles plantées dans ton cœur : puisqu'en te faisant croître dans le sien il t'a appelée Bernadette.

PREMIER PRINTEMPS

Tu es entrée depuis cinq jours dans ton premier printemps. Quand j'étais adolescent j'aimais de toute mon âme cette époque où mes rêveries fleurissaient avec la rose rustique, l'aubépine et l'anémone-sylvie. Je vibrais comme une ruche et me nourrissais d'avenir. Il y avait un banc dans un bosquet… Et les jeunes filles que j'avais suivies tiraient derrière elles les lourdes portes qui se refermaient sur leurs yeux flattés, interrogateurs et liquides. Les pluies fines dans la poussière sentaient bon… O mon cœur ! qui fus longuement balancé, tel que dans la haie le rameau que l'on touche en courant, que faisais-tu de ces trésors vivants cachés en toi comme des dormeuses dans leur demeure ?

Mon cœur répond : ce que j'ai fait de ces impressions de printemps, je les ai mûries en secret pour qu'elles prissent une forme. Des teintes de la rose rustique, de l'aubépine et de l'anémone-sylvie, du chant des oiseaux des bois, de la naissance mystérieuse de l'amour, des légères larmes de l'averse sur la terre et du balancement des branches j'ai pétri Bernadette.

LES RAMEAUX

Ta mère regrette que tu ne puisses déjà soutenir une branche de laurier bénit d'où pendent des œufs de sucre, des gâteaux, des noix dorées. Tu n'élèves vers le Seigneur que tes mains nues, séparées des poignets ronds par un pli fin comme un fil de soie auquel rien n'est attaché.

JEUDI ET VENDREDI SAINTS

Ton ami l'Enfant Jésus a gagné à la sueur de son front, dans l'atelier de son père, un morceau de pain qu'il te garde pour quand tu auras faim.

Et il a dit :

« Mon père, si vous voulez, avec le reste de ce bois faisons un berceau encore ? » Il a tant fabriqué de berceaux, le pauvre Enfant Jésus, qu'il n'est plus resté pour lui que deux poutres où il s'est étendu... Tant de berceaux dans l'échoppe du Charpentier ont été fabriqués ! Et le tien, Bernadette !

Ah ! Les gens qui dans l'étroit atelier de ce père et de ce Fils s'asseyaient parfois pour leur dire bonsoir ne savaient guère que là, chez Joseph, tous les berceaux du monde à venir devaient être faits.

Un jour il semblait que le bois fît défaut, qu'il n'en restât plus que juste ce qu'il fallait pour la Croix de N.-S. Et la Mère au cœur transpercé s'écria : « O mon Fils ! quelle place te restera-t-il pour mourir sur ce bois ? »

Mais l'Enfant Jésus sourit et il prit encore sur sa Croix.

Et, dans notre chambre se dressait ton berceau, ô ma Bernadette !

Que je marque ici, d'une façon particulière, tes premiers Jeudi et Vendredi Saints :

N'avais-je pas écrit au début de ce livre que ton ange gardien te protégerait, qu'il écarterait de toi le cheval emporté ? Or Jeudi, quand vous alliez être écrasés toi et ta petite voiture par un attelage emballé et sans conducteur, les chevaux ont dévié tout à coup d'eux-mêmes en te frôlant.

Et, le lendemain, Notre-Seigneur est mort à ta place.

PAQUES

Pâques ; l'œuf de la poule blanche luit dans la mousse et l'ajonc fleuri a chanté. Cocorico ! Cocorico ! Ma Bernadette, les fidèles ont communié. La calme splendeur de Dieu baigne les collines, le soleil brun des frelons ronfle dans le jardin verni, le chant du rossignol dans la matinée est plein d'encens, la terre s'entr'ouvre, la mort est morte, tu vivras à jamais, ô Bernadette ! car en toi, autour de toi, à l'infini, le Ciel s'étend. Le Seigneur est si humble que Madeleine le prit pour un jardinier. En ce jour il t'appelle peut-être sa petite sœur, parce que le grelot de ton hochet sonne comme la clarine d'une agnelle pascale. Alleluia. Alleluia.

NUIT SOUFFRANTE

Dans la triste nuit tu tousses et nous nous levons pour te soigner. La flamme rousse et bleue de l'alcool fleurit sous la casserole grésillante, et les perles fines de l'air se détachent du métal, montent crever à la surface de l'eau, y sont remplacées par d'autres, de plus en plus rapidement, jusqu'à l'ébullition complète.

Quelle angoisse de voir ta petite figure se contracter sous la toux ! Mais quelle grandeur que de veiller sur toi ! On n'entend que l'eau et la flamme. Et, au milieu du sommeil qui entoure la maison, nous nous tenons debout ta mère et moi avec, pour témoin et ami, Dieu. Ne nous abandonnez pas, ô Sauveur ! J'ai confiance. Ne nous montrez point dans notre enfant cet affaissement où vous avez été. C'est assez que, dans le chemin, vous soyez tombé sous la Croix en nous jetant un regard interrogateur... Nous avons calmé Bernadette et maintenant elle s'est assoupie. Son souffle qui devient paisible me prend comme une berceuse. Et c'est ainsi qu'à mon tour mon enfant m'endort.

FÊTE-DIEU

Ta première Fête-Dieu, tu l'as passée loin d'Orthez aux *Égrets*, dans le pays qu'habite la maman de ta maman. Tu avais une couronne retenue par un élastique, une couronne de roses blanches, si petites que l'on eût dit des camomilles, et un panier suspendu au cou pour que *tu fisses semblant* de jeter quelques pétales au passage de Notre-Seigneur. Tu ne sais même pas ce que c'est que de jeter des fleurs. Et alors on te prenait la main et l'on te faisait essayer ce geste d'en lancer à Dieu. Comme il a dû te regarder ! Quel attendrissement n'a-t-il pas dû avoir en sentant sa toute-puissance envelopper ta faiblesse !

... La Fête-Dieu est si belle et si bonne qu'il semble que ce jour-là le feuillage soit plus ombreux, le gâteau plus sucré, l'herbe plus verte, la cerise plus rouge, la rose plus rose. A cette Fête-Dieu paraissais-tu donc, de même que la rose plus rose, plus Bernadette que jamais ? Non, car pour nous, ô ma fille ! tu es la Fête-Dieu de tous les jours.

NOUVEAUX PROGRÈS

Tu t'émancipes lentement, tes jambes et tes bras se délient, tu peux redresser à la façon d'un rameur ton buste dans ton berceau. Tu appelles, tu appelles, tu appelles la chienne : « iane… iane… ». Tu commences d'apercevoir les détails, les reflets des glaces où tu te souris de tes six dents. Tu t'intéresses à tout avec passion. Tu regardes d'un œil soutenu les anguilles que je rapporte de la pêche. Le grand chaos pour toi s'ordonne ! La vue du sirop purgatif et de la seringue te font pleurer. Viendra le jour qu'au-dessus du miroir noir tu voudras saisir le papillon de feu bleu qui, dans son cadre, évoque les forêts dont mon père m'a transmis l'ardeur, forêts qui baignent sans doute dans un ciel pareil à cet insecte géant qu'écaille une limaille d'azur. Papillon, miroir, seringue, sirop, anguilles, chienne, berceau, papa, maman, voilà les premiers exemples de ta grammaire vivante, le vocabulaire que tu traduis dans une langue diffuse qui embrouille les syllabes, compose un mot avec les assonances d'autres mots, se résout parfois dans un appel semblable à celui d'une perruche. Ton progrès est une agitation. Comme le jeune oiseau tâte l'air avec ses plumes, tu palpes le monde avec les ailes de ta petite âme qui bat, qui est là pareille, quand je te tiens, à cette fauvette au bord du nid, ta petite âme qui est là au bord de tes yeux, de ta bouche et de ta vie ; qui est là. Et tu cries ! Et tu cries ! Et tu saisis à deux mains ton pied nu et tu le portes à ta bouche, parce qu'un pied c'est pour s'amuser.

LE TROUSSEAU DE CLEFS

Dans sa voiture, à l'ombre de l'acacia, Bernadette me sourit comme la lune en plein jour. Entre les pavés de la cour, un plantain est si net qu'il semble une tache d'eau sur la lumière. La vie, telle qu'une mer calme, fait entendre son murmure et l'enfant joue avec un trousseau de clefs. Elle jouera longtemps avec ce trousseau de clefs, heureuse de toute nouveauté, et si douce sous son petit chapeau de paille d'où pendent deux pompons de fleurs d'artichaut ! Qu'il est beau, ce monde où chaque chose se découvre peu à peu ! Voilà : il y a donc encore, en dehors du polichinelle, de la poupée et du chat d'étoffe, il y a des clefs. Mon Dieu, se dit sans doute Bernadette, il est bon de vivre à cette heure-ci sur une terre où il y a quelque chose de brillant qui fait du bruit et que je mords.

LE PÈLERINAGE ACCOMPLI

Je vous salue, patronne de ma petite fille. Ayant quitté un jour votre chaumière pour paître comme d'habitude vos brebis au bord du gave : vous qui n'aviez rencontré jamais au pied de la montagne que des gens obscurs comme leurs foyers éteints, vous avez vu la Mère de Dieu plus brillante qu'une étoile. Le choc de vos sabots sur les galets cesse. Et tout à coup il n'y a plus rien que de l'Amour, que de l'Amour, il n'y a plus rien que de l'Amour. Vous êtes à genoux. Vous la voyez. Elle. Et c'est cette terre de bénédiction qui la supporte parmi des roses, ma terre à moi, la terre pétrie de ciel et pleine des murmures affectueux des torrents et des brises chargées de pinsons.

Comme je l'avais promis, nous sommes allés présenter notre Bernadette à votre Vierge, ô Bernadette ! Ainsi, ne sachant plus que faire pour témoigner de leur reconnaissance, des enfants qui ont reçu un trésor vont l'offrir à celui qui le leur a donné.

LE ROYAUME DES CIEUX EST POUR CEUX QUI LEUR RESSEMBLENT

(*Saint-Matthieu*, XIX, 14.)

Tu sauras plus tard, Bernadette, qu'un saint n'a pas une figure différente de celle d'un autre homme et que, même dans sa niche, il ne diffère pas beaucoup en apparence d'un vieux qui se tient debout dans un petit magasin. Il te faudra donc être bien respectueuse envers tout le monde puisque telle ou telle personne peut être une sainte sans que ce soit écrit sur sa figure. Il est probable que Bernadette de Lourdes est une sainte, puisqu'elle a vu la Vierge. Cependant si tu regardes un jour son portrait, tu verras qu'elle ressemble à une pauvre paysanne pas bien jolie qui vendrait des pommes au marché.

C'est dans le cœur qu'est la sainteté, comme de l'eau pure dans une cruche sous des feuilles. Sous les vêtements Dieu remplit cette cruche peu à peu avec de l'eau de Ciel sans que personne voie tomber cette pluie, pas même celui ou celle qui la reçoit. Cette eau doit être bonne puisque ceux qui en ont le cœur plein se mettent à genoux pour remercier le Seigneur de les avoir ainsi désaltérés.

Mais comment, demanderas-tu, faire que mon cœur soit la petite cruche de Dieu ?

En le gardant toute ta vie, ce cœur, tel qu'il est aujourd'hui que tu as un an. Ainsi soit-il.

TES MORTS

TON BISAIEUL JEAN-BAPTISTE

La figure ronde et rose, les cheveux en brosse arrondie et noirs comme les courts favoris, les yeux bleus sous des lunettes d'or, le nez et la bouche petits et bien faits, un peu trapu, il charge son fusil non loin de l'habitation de planches que surmontent les plumeaux des cocotiers. Il tue un ramier qu'il met dans sa carnassière. Et le souffle de la mer lui apporte l'odeur de la cuisine des noirs.

Il y a une tempête. Le voici maintenant sur une chaloupe. Il va au secours d'un navire en danger et le sauve.

Il y a un tremblement de terre, beaucoup de maisons s'effondrent sur les habitants de la Pointe-à-Pitre à midi quand les fourneaux sont allumés. Il ampute des bras et des jambes.

Il se dévoue lors d'une épidémie de choléra.

Il a la croix d'honneur.

Mais que lui importent la chasse, la saveur épicée des mets et ses actes de courage récompensés ? Sa compagne charmante est morte en rentrant à la Guadeloupe, malgré tous les soins qu'il lui a fait donner à Paris, malgré l'habileté des chirurgiens. Il est seul, ses enfants sont en France au collège. Son cœur est malade et il pense avoir trouvé, pour en accélérer ou ralentir les battements, le jus de la verveine.

TA BISAIEULE ANTOINETTE

Elle passa la mer plusieurs fois, des Antilles en France et de France aux Antilles où elle mourut en touchant terre, comme une vague gémit et s'efface.

Ses traits sont absents, il ne reste d'elle que du corail, de la soie et deux raisins d'or qui tremblaient à ses oreilles.

TON GRAND-PÈRE PATERNEL

Le front courbe, les tempes larges et plates, le nez busqué, les yeux noirs, la lèvre supérieure retroussée, la barbe grise en pointe, le port de tête en arrière, de haute taille ; il était fait davantage pour vivre en grand seigneur à la Guadeloupe que dans ce bureau où il gagnait notre pain en usant son cœur.

Tout est bien en ordre sur sa table de travail.

Le vieil huissier qui, lorsqu'il sue en marchant, fait sécher sa chemise sur son parapluie qu'il ouvre au soleil, vient faire enregistrer des papiers et s'en va.

Entre le notaire qui se plaint de ce qu'une pie apprivoisée lui dérobe des objets brillants. Il cause un moment de sa chasse aux petits oiseaux et part.

Voici le conservateur des hypothèques. Receveur, dit-il, je venais vous inviter à manger un lièvre que j'ai failli tuer.

Quatre heures sonnent. Je sors avec mon père dans la campagne chaude et bleue. Il amorce sa ligne.

Aujourd'hui sur la berge où il fut il n'y a plus que de la lumière.

UN FRÈRE DE TON BISAIEUL JEAN-BAPTISTE

Médecin puis juge de paix il avait une tête ronde, je n'en sais guère plus sur son physique, il demeura garçon jusqu'à un âge assez avancé. Il avait étudié chez Dupuytren et se consolait de l'abandon de la chirurgie par l'abatage des arbres. Il les sciait lui-même au moment que leurs fruits commençaient de mûrir. Il préparait par la chimie des dragées et du civet de lièvre. Il jouait du cor de chasse dans la garde nationale. Et il était galant avec les dames, en voici la preuve :

Un jour qu'il chassait il se brisa un os de la jambe et se traîna jusqu'au bord d'un fossé où il s'assit. Une voiture de jeunes femmes passa. Ne voulant pas qu'elles eussent le désagrément de le savoir estropié, il fit comme si de rien n'était. Et, se soulevant sur le talus, il les salua de son plus souriant coup de chapeau.

UN AUTRE FRÈRE DE TON BISAIEUL JEAN-BAPTISTE

Ce fut une vie de duels, emportée comme une tempête, et puis la mort prématurée à La Havane dans la désolation d'un soleil jaune comme la fièvre.

Rien. Rien. Il ne reste de lui rien que la miniature de sa fiancée Mademoiselle Dubarry dont j'interroge la beauté méridionale : N'avez-vous pas bien souffert quand loin de vous le bien-aimé courait les aventures ?

Elle me contemple d'un air désabusé.

CLÉMENCE, SŒUR DE TON BISAIEUL JEAN-BAPTISTE

Elle était protestante comme sa mère et ses sœurs, maigre, avec des yeux verts et perçants dans une figure anguleuse. Mais sa sévérité se faisait douce pour moi. Le Seigneur était sa vie. Il semblait quand elle marchait sur le parquet ciré de la maison natale que la harpe du roi David accompagnât ses pas sur les eaux. On la disait colère, mais un peu je pense de la colère des prophètes en face de ceux qui n'observent pas assez rigoureusement la Loi. Pour ceux qu'elle voulait convertir, elle ne connaissait pas de trêve et sa voix chargée des orages de l'Ancien Testament retentissait jusque dans les agonies.

Je recopie dans sa Bible ce verset qu'elle a transcrit d'un Psaume :

« Certainement c'est dans l'apparence que l'homme se promène. Certainement c'est en vain qu'il s'agite. Il amasse des biens, et il ne sait qui doit les cueillir. »

Elle ne mentait jamais, pas même en plaisantant. Il y avait en face d'elle sur la table à manger un huilier dont les cornues croisaient leurs cols en forme d'*x*.

UNE AUTRE SŒUR DE TON BISAIEUL JEAN-BAPTISTE

Si Clémence optait pour la vie contemplative, Célanire avait choisi la vie active. Je revois Célanire aux yeux bleus, au menton et au nez crochus, osseuse et voûtée sur le fond de suie de l'âtre où elle fixe à une pince de fer une chandelle de résine ; elle rompt du fagot sur son genou, évente les braises avec un écran, gonfle ses joues pour attiser le feu davantage, frotte le gril, avance et recule le pot où cuisent des haricots, suspend le chaudron à la crémaillère, bat l'omelette, s'impatiente, chasse les chats, balaie, cire, lave, tire du vin de la barrique et, à la mode béarnaise, lèche sur le dos de sa main un peu d'aigre pâte de millet.

C'est la saison où il faut surveiller les vendanges. Elle boit un peu de café et de bouillon, coiffe un chapeau de moissonneuse, grimpe dans le char-à-bœufs, se dispute avec le métayer et prétend lui confectionner des guêtres avec un vieux haut-de-forme.

Elle prise du tabac, joue au loto et cite des proverbes.

Le soleil descend comme un pressoir sur la colline rouge.

TON GRAND-ONCLE PATERNEL

Il descend la colline dans le soleil rose des bruyères. Il boit un coup de vin à sa gourde. Il porte l'impériale, et la couleur de ses yeux qui s'enflamment est vive et noire comme la poudre de son Lefaucheux. Il s'est marié tout jeune. Comme un enfant il est emporté et bon. Une de ses filles voudrait entrer en Religion. Si elle y entre, je mettrai le feu au couvent, a-t-il dit. Ses chiens tombent en arrêt. Il tue deux perdreaux. Il casse une croûte à l'auberge et regagne sa perception des finances. J'ai cinq ans. Il me montre son fusil, il me voudrait déjà de son âge et son camarade. On me donne du miel pour goûter.

L'ombre descend sur l'étendue sauvage, et il meurt vers quarante ans usé par sa violence.

Il y a des clochers au sommet des coteaux, des lièvres dans les fourrés et de bons dîners avec les compagnons de chasse.

TON BISAIEUL AUGUSTIN

Le port roide de quelque intendant militaire retraité, de petite taille, le nez long chaussant des lunettes fines, les yeux d'un bleu clair, la moustache un peu jaunie par les pipes qui enfumaient aussi les journaux et les livres, et tombante et relevée aux bouts cirés, le menton peu saillant, les cheveux rares et longs ramenés sur le côté du front un peu fuyant, l'oreille large : il faisait songer encore à quelque ancien héros des victoires du romantisme.

Son enfance fut si choyée que lorsqu'il désirait la pluie on montait sur le toit d'où l'on vidait un arrosoir.

C'était un lettré. Il récitait avec passion ces vers de Musset :

Oh ! Sous le vert platane,

Sous les frais coudriers,

Diane

Et ses grands lévriers !

Mais il était surtout musicien.

Dans la ville élégante où il s'est retiré, il longe le boulevard. On voit bien le pic du Midi aujourd'hui.

— Bonjour, Monsieur Bellot, vous allez au concert classique ?

Le voici dans la salle pleine d'un beau monde silencieux. Il est assis tenant par le milieu sa canne qui supporte son chapeau. Il vibre déjà comme un violon que l'on accorde. Une dame lui adresse un salut de la main. Il sourit et s'incline. La symphonie ruisselle et ronfle et à la fin il applaudit, il frappe le parquet poli en signe de satisfaction.

La présence d'un seul moustique dans sa chambre lui fait souhaiter de n'être jamais né.

TA BISAIEULE ÉLÉONORE

La dignité, la bonté et la douleur la marquaient. Je revois le deuil de ses yeux, le deuil de ses vêtements, le deuil de son chapelet dont les grains semblaient faire partie d'elle-même, avoir mûri entre ses doigts. Sa chambre où elle me gardait quelques pastilles de réglisse était si remplie d'ombre que l'on n'y devinait la présence de la sainte femme qu'à la blancheur de ses cheveux.

Une partie de sa vie se passait à genoux devant un Crucifix jauni.

Parfois elle était en pleine lumière, face à face avec le Saint Sacrement exposé, mais tout à coup son front retombait dans ses mains.

PAYSAGES

TA VILLE

Le bord du cadre est fait des bois de chênes des collines et du marbre bleu des Pyrénées. Un clocher assez proche coupe la vue d'un mamelon éloigné qui s'isole en s'avançant dans la plaine. Tout ce qui, comme ce mamelon, est en relief en dehors de l'horizon, semble couché sur les damiers de blés, de maïs, de vignes et d'herbes : les carènes des anciennes redoutes, les avenues et les places, le vieux pont pareil au pont du jeu de l'oie et la tour du château qui, dans un nuage d'arbres, ressemble à une leçon de dessin. Seules demeurent toujours debout les Pyrénées, car jamais elles n'abandonnent le ciel si bleu qu'il est solide.

En amont, le gave est une nappe qui forme des îlots ombreux, et, sur les cailloux, des vaguettes qui battent de l'aile ensemble comme un vol de pigeons fondu dans la lumière. En aval, le roc nu encaisse l'eau couleur d'olive et s'avance au milieu et émerge çà et là comme une troupe de bêtes d'avant le déluge.

Les maisons des vieux quartiers chaussées de galets, vêtues de jardins pareils à des châles de l'Inde vus à l'envers, coiffées de toits qu'empanachent les fumées, comme de plumes d'autruches, regardent les passants à travers leurs lunettes carrées et fixent à leurs fichus de chaux blanche, garnis de balcons à jour, des bouquets de géraniums et des colliers de piments rouges.

Tel est le tableau, ô Bernadette, où tu figures au premier plan parce que sans cela tu paraîtrais trop petite !

LA PETITE FERME DITE *AU CHOÜ*

Sous un ciel bleu comme une plume de geai, quand le soleil suspend ses rayons de miel aux feuilles des aulnes et quand les champs de blé sont comme l'intérieur des lis, la petite ferme est fraîche. Elle est comme la niche du chien du Bon Dieu. Peut-être est-elle placée au milieu de la Terre, et que c'est là qu'habite la fidélité. Endroit sauvage ! A deux kilomètres, sur le chemin qui continue la rue Moncade, tu tournes à gauche. De là un chemin défoncé, tantôt boueux tantôt friable, t'y conduit, à trois cents mètres. Les champs sont sur le versant d'un coteau qui s'incline de l'Est à l'Ouest. Au bas, un petit ruisseau les borne où de minces insectes patinent, projetant sur son fond blond leurs ombres en feuilles de trèfle. On les nomme des cordonniers à cause des mouvements qu'ils font. Recherche la noirceur de l'Été pour déjeuner là sur l'herbe en écoutant les maïs se froisser entre eux. En amont le ruisseau s'enfonce dans des terrains détrempés où croît en abondance le baume, cet arbuste coriace à l'odeur d'encens, et où l'on trouve çà et là des rossolis.

Lorsque je ne serai plus, dis-toi que par là je poursuivais les bécasses et que parfois cette solitude semblait lentement s'élargir et se refermer sous mon coup de fusil.

Le terrain qui se relève à l'Ouest au delà du ruisseau est flanqué de légers bosquets. Une ferme, en face de la nôtre, le domine dans les vignes. C'est la propriété de Dabitou qui invoque, le verre à la main, le pacte cordial du voisinage ancien.

Sur la crête opposée serpente le chemin craquelé qui fait songer à la fable torride : *Le Coche et la Mouche*. Il surplombe des ajoncs épineux tout bourdonnants d'abeilles dans l'après-midi qu'ils endorment.

Vers le Sud une claire échappée en éventail rafraîchit l'âme. Une tour en ruine et des montagnes lustrées semblent parler d'un pèlerinage au Ciel.

Pense à ce pèlerin, prie pour lui, ô ma Bernadette ! quand tu entendras la douceur du bétail respirer dans la pauvreté de l'étable.

LA VIE

La vie est comme une petite maison bâtie sur le bord d'un sentier, ô ma Bernadette,
une maison toute simple aux gros murs honnêtes
dans le jardin de laquelle on cueille du chasselas et des noisettes.
Puis l'on s'en va.

Vois la petite maison
avec son perron.
Elle est là comme nous sommes là et la saison avance à grands pas.

Qu'est-ce qui demeure,
de tout cela quand a sonné la dernière heure, celle où comme un filet d'eau
une ombre à genoux pleure ?
Dieu.

Il reste Dieu, c'est-à-dire la maison
d'où jamais nous ne sortirons,
la maison où l'ange en prière sur le perron
ferme les yeux.

Mais apprends bien, ô Bernadette, pendant que tu es dans la vie
comment elle est, cette vie ; sache-la comme une leçon qu'on a suivie
du bout du doigt et qui t'aura ravie
jusqu'à la fin.

Et quand ton front si doux et bosselé
se relèvera du grand livre où tu auras épelé
le pain qui naît du blé
et le vin du raisin,

tu comprendras combien la petite maison est chère,
la maison sur le sentier, dans laquelle il n'y a rien d'extraordinaire,
mais où vivent quatre cœurs : ton père, ta mère, ta grand'mère et toi.

Et voici que le ciel
doré comme le miel
après notre réveil
s'élève sur le toit.

Milton Keynes UK
Ingram Content Group UK Ltd.
UKHW012250290324
440241UK00004B/273